Sin ti

Para Claude

Título original: *Whitout You*
Traducción: R. Pérez

© Geneviève Côté, 2011, por los textos y las ilustraciones
Publicado bajo la autorización de Kids Can Press Ltd., Toronto, Ontario (Canadá)
© Drepder Invest, S.L. – Almadraba Editorial, 2016
www.almadrabalij.com

Primera edición: septiembre de 2016

ISBN: 978-84-15207-92-4
Depósito legal: B-18.716-2016
Printed in Spain

 Este libro ha sido impreso en papel procedente de una gestión forestal sostenible, y es fruto de un proceso productivo eficiente y responsable con el medio ambiente.

 Papel ecológico y 100 % reciclable

Sin ti

Geneviève Côté

Almadraba

INFANTIL JUVENIL

¡Para!
¡No corras tanto!

¡Apártate!
¡Esto es una pista de carreras!

¡Eres un descuidado!

¡Y tú, un exagerado!

Ya no quiero jugar más contigo.

¡Fenomenal! No voy a echarte de menos.

Yo puedo leer un libro sin ti.

Y yo puedo cocinar sin ti.

Yo puedo jugar a disfrazarme sin ti.

Yo puedo ir al parque sin ti.

Yo puedo pintar una puesta de sol sin ti.

Yo puedo tocar la trompeta sin ti.

¡Pero mi libro es más divertido
cuando lo leo contigo!

¡Y mis galletas saben mejor
cuando las comparto contigo!

Yo puedo hacer un número de magia
cuando estoy contigo.

Yo puedo marcar un gol cuando estoy contigo.

Mis colores son más vivos
cuando te pinto a ti.

Mi música es más dulce
cuando toco para ti.

Cuando estoy contigo,
una carretilla puede ser un avión.

¡Juntos podemos volar, tú y yo!

Geneviève Côté es escritora e ilustradora
y vive en Montreal, Quebec. Su obra le ha valido
numerosos premios, entre ellos, el Governor
General's Award de Ilustración, uno de los
galardones literarios más prestigiosos de Canadá.
En su libro anterior, *Como tú*, vemos por primera vez
al delicado conejito y al enérgico cerdito.
Geneviève sabe hacer pasteles sin la ayuda
de nadie, ¡pero sus postres saben mucho mejor
cuando los comparte con su amigo!